I0216788

La rareté est partout

par
Deborah Katz

Miss Bird Books
Vancouver (C.-B.)

Copyright (texte et illustrations) : © 2018 Deborah Katz

Tous droits réservés. Le présent livre ne peut être reproduit, stocké dans un système de récupération ou transmis, sous quelque forme que ce soit, sans le consentement écrit préalable de l'auteure. (missbirdbooks@gmail.com).

Premières éditions papier et électronique publiées en février 2018, par Miss Bird Books

www.rareiseverywhere.com

Données de catalogage disponibles auprès de Bibliothèque et Archives Canada

ISBN 978-0-9958261-3-7 (édition papier)
ISBN 978-0-9958261-5-1 (édition électronique)

Première édition

Production, édition, et traduction: Behind the Book (www.behindthebook.ca), Annie Bourret, et Frédéric Lapointe
Graphisme et mise en page: Michela Sorrentino, H+S Design (www.hermanidesign.com); Angela Doll Carlson et Kaleeg Hainsworth, Bright Wing Books (www.brightwing.ca)

Ce livre a bénéficié de l'appui de nos généreux commanditaires :

CASCADIA METALS

CHEO RESEARCH INSTITUTE

help at home

J.COREA GROUP

À Miriam, à Dustin et aux enfants de partout au monde
– puissiez-vous toujours savoir combien vous êtes beaux.

Que veut dire le mot « rareté »?

La rareté, ou « être rare », c'est être différent d'une manière spéciale.

Comme...

Le guépard sans taches

Il n'y en a pas un autre au monde comme moi,
Si un guépard a des taches, qui suis-je, moi?
Les gens pensent que je suis un lion ou un autre gros chat,
Ils n'ont jamais vu un guépard comme ça!

Mes amis guépard ont plus de 2 000 taches,
Je n'ai que quelques petits points, pas des taches.
Contrairement aux lions et aux tigres qui sortent dans l'obscurité,
Avec ma grande vitesse, je chasse mes proies en pleine clarté.

De tous les animaux, je suis le plus rapide, sans discussion,
On m'appelle Golden, car du sable j'ai la coloration.
Je me mêle à la savane et on me repère difficilement,
Je n'ai pas de taches, mais je ne suis pas lent!

Le homard bleu

Les homards sont brun rougeâtre, je suis le seul à être bleu.
Plus étrange encore, d'autres sont jaunes, n'est-ce pas merveilleux!

Je peux devenir très gros, car je ne cesse de grandir.
J'utilise mes pinces pour me défendre et me nourrir.
Je mange toutes sortes de proies au fond de l'océan où je vis.
Je me repose durant le jour, car je chasse surtout la nuit.

Certaines personnes capturent les homards pour s'en régaler,
Mais relâchez les bleus, ils sont trop rares pour être mangés!

Le cerf albino

Mes yeux sont délicats et mon nez est rosâtre,
Je n'ai pas de taches et ma fourrure est blanchâtre.
Tout l'été, on me remarque facilement,
À l'approche d'un prédateur, je m'éloigne rapidement.

Je me lève tôt, mais je dors durant la journée.
Puis je sors la nuit, pour manger et pour jouer.
Mes bois repoussent au printemps chaque année,
Mais à l'approche de l'hiver, ils vont à nouveau tomber.

Quand l'hiver arrive, je me mêle à la neige
De la chasse, ma couleur me protège.

Le pingouin noir

Au lieu d'une poitrine blanche brillante et d'ailes noires
Comme un gilet que je porte, j'ai des plumes noires.
Parmi tous les autres, je suis facile à repérer,
De toutes les mères, mon bébé peut vite me trouver.

Mes plumes noires me tiennent au chaud dans l'air glacé,
Comme si j'étais de sous-vêtements emmitouflé!
Je nage comme une fusée et attrape du poisson pour manger,
Pour déguster du calmar, au plus profond je dois plonger.

Je ponds un œuf et le garde au chaud et en sécurité,
Jour et nuit, pendant chaque tempête, sans le quitter.
Quand mon poussin éclot, je lui apprends à glisser,
Vers la mer sur un grand toboggan aquatique, sans se blesser!

Le panda brun

Mes amis sont noirs et blancs, mais je suis brun clair et foncé,
Seuls quelques-uns d'entre nous ont été trouvés.
C'est peut-être l'eau ou la nourriture que je dois manger
Qui me donne la couleur du chocolat et du blé.

Je dors beaucoup et mange du bambou toute la journée,
J'utilise mes pouces pour le tenir bien serré.
Je vis dans les montagnes, où peu de gens vont montant
Je me repose beaucoup et bouge assez lentement.

Je suis très connu pour ma douce toison de fourrure
Et aimé de tous comme un symbole de paix, je le jure.

L'alligator blanc

J'ai des écailles blanches luisantes et des yeux bleus brillants,
Quand les gens me voient, ils ouvrent la bouche d'étonnement.

Je dois être à l'ombre, où je peux courir et nager.
Sans couleur, au soleil ma peau peut brûler.
J'atteins la même taille que les autres alligators, et je vis aussi longtemps,
Je mange comme eux, et quand je mords mes crocs sont tout aussi puissants.

Qu'est-ce que je mange? Je vais vous le dire maintenant.
J'aime manger des oiseaux, et je vais vous dire comment.
Je mets une poignée de feuilles et des brindilles sur ma tête,
Quand ils atterrissent sur moi, je les dévore et c'est la fête!

Le jaguar noir

Ma fourrure est noire, alors que celle des autres est dorée.
Je peux avoir l'air différent, mais je suis tout aussi aventurier!
En regardant de près, vous pouvez voir mes taches,
Des points pâles qui dans ma fourrure se cachent.

Perché dans les arbres de la jungle, j'attends ma proie préférée.
Sur elle je bondis rapidement pour qu'elle ne puisse s'échapper.
Comme mon cousin le tigre, je peux nager,
Et ma fourrure noire brille, quand je suis mouillé.

Nous sommes 600 dans le monde présentement.
Nous n'avons pas un grand habitat pour jouer.
Difficiles à voir, nous sommes magiques et puissants,
Au cœur de la jungle, où nous courons en liberté!

L'ours esprit

La forêt pluviale du Grand Ours est ma maison,
Tout au nord, où je vagabonde et fais des excursions.
Ma fourrure est blanche, mais je suis vraiment un ours noir,
Au milieu de la forêt, je suis un spectacle notoire!

Mes parents peuvent être blancs ou noirs, c'est sans importance.
Nous sommes pareils dans presque tout, en apparence.
Sauf que je suis bien meilleur pour attraper le poisson,
Grâce à ma fourrure blanche, je suis comme un caméléon!

La légende dit que je suis blanc depuis très longtemps,
Pour nous rappeler l'âge glaciaire, quand le monde était tout blanc.
Quand l'hiver viendra, dans ma tanière je m'endormirai.
En attendant, j'attrape du saumon pour me régaler!

La sauterelle rose

Contrairement aux autres sauterelles, je suis de couleur rosée.
Je peux sauter très haut, mais je suis bien plus facile à repérer.
Dans les feuilles ou l'herbe, je ne peux pas me cacher.
Mais j'ai de la chance, car je me déplace avec rapidité.

Mon visage a de très grands yeux, situés de chaque côté,
J'utilise mes antennes pour sentir, et ma bouche pour goûter.
Je frotte mes pattes contre mes ailes quand je veux parler.
Vous m'entendez dans les buissons, car mon corps peut chanter!

Rose à la naissance, par la suite je peux brunir,
Et être ainsi bien plus difficile à découvrir.

Le tigre blanc

Ma fourrure blanche et mes yeux bleu clair sont formidables,
J'ai de très bonnes oreilles et une vision admirable.
Peu importe la couleur, tous les tigres ont des rayures adorables.
Chaque pelage est différent, il n'y en a pas deux de semblables!

J'adore me mouiller, ce qui est rare pour un félin.
Si vous me cherchez, je dois être en train de nager!
Je cours vite et longtemps, et rien ne me retient.
Je dors 18 heures par jour, sinon je vais chasser!

Je suis seul la plupart du temps, sauf quand j'ai des petits.
Vous pouvez me trouver sur les plaines, c'est là que je vis.
Je suis un symbole de pouvoir et un symbole de force.
Les autres animaux s'enfuient en me voyant, car je suis féroce!

Donc, si tu te sens différent comme un ours esprit blanc...

Tu n'as pas à t'inquiéter, parce que...

La rareté est PARTOUT!

À propos des animaux

Les animaux figurant dans ce livre sont rares à cause des changements que leurs gènes ont subis. Les gènes sont trop petits pour être vus sans un microscope spécial, mais chaque animal en possède, y compris les gens. Les gènes sont porteurs d'information qui fait de nous ce que nous sommes, y compris notre apparence. Les gènes rendent les gens et les animaux différents les uns des autres de façon surprenante et étonnante!

Le guépard sans taches

On ne sait pas grand-chose sur ce qui fait qu'un guépard n'a pas de taches. Il n'existe qu'un seul guépard sans taches dans le monde aujourd'hui. Il a été repéré il y a quelques années au Kenya, en Afrique. La dernière fois où on a observé un guépard sans taches avant celui-ci remonte à 100 ans!

Le homard bleu

Habituellement, les homards ont une carapace de couleur brun rougeâtre, mais celle des homards bleus est bleu vif. On croit qu'un homard bleu porte bonheur au pêcheur qui l'a attrapé. Comme les autres homards, les homards bleus peuvent vivre 70 ans ou plus. Seul un homard sur deux millions est bleu!

Le cerf albino

La fourrure et la peau des cerfs albinos n'ont pas de pigment de couleur. Leur fourrure est blanche, leur nez et leurs yeux sont roses. Ils sont comme les autres cerfs, sauf qu'ils ne peuvent pas voir aussi bien. Beaucoup de gens croient que les cerfs blancs sont spéciaux et apportent la chance. Un cerf sur 20 000 est albino!

Le pingouin noir

Le pingouin tout noir est un pingouin royal. Il s'agit du deuxième plus gros pingouin au monde (le plus gros étant le pingouin empereur). Il est atteint de mélanisme, un changement dans ses gènes qui lui fait avoir des plumes noires sur la poitrine, alors qu'elles sont habituellement blanches. Un pingouin sur 250 000 a quelques plumes noires sur sa poitrine, mais un seul pingouin au monde a des plumes noires partout sur son corps!

Le panda brun

Au lieu d'être noire et blanche, la fourrure des pandas bruns est de couleur brun foncé et brun clair. Ces pandas vivent dans les montagnes de Qinling, en Chine. Au cours des 30 dernières années, on a repéré à peine quelques pandas bruns. Il n'en reste qu'un dans le monde aujourd'hui.

L'alligator blanc

L'alligator blanc n'est pas vraiment albino, parce que son corps et ses yeux ont un peu de pigment. Les alligators blancs sont rares dans la nature. Sur 5 millions d'alligators américains, seulement 12 sont blancs!

Le jaguar noir

Parfois appelés panthères noires, les jaguars noirs sont également atteints de mélanisme, un changement dans leurs gènes qui rend leur fourrure noire et tachetée, alors que le pelage des autres jaguars est de couleur taupe ou doré avec des taches noires. Ils vivent en Amérique du Sud, où un jaguar sur 17 est noir.

L'ours esprit

Les ours esprit (également appelés ours Kermode) vivent en Colombie- Britannique (C.-B.), au Canada. Il s'agit d'ours noirs qui ont une belle fourrure blanche. Environ un sur 40 à 100 ours noirs est un ours esprit, mais sur une petite île située dans la forêt pluviale du Grand Ours en Colombie-Britannique, un ours noir sur trois est un ours esprit.

La sauterelle rose

Les sauterelles roses naissent avec un corps de couleur rose vif, au lieu du vert habituel des autres sauterelles. On ne sait pas exactement à quelle fréquence les sauterelles viennent au monde avec un corps rose, mais on pense qu'elles sont extrêmement rares.

Le tigre blanc

Les tigres blancs ne sont pas albinos, mais en fait des tigres du Bengale à la fourrure blanche et aux yeux bleus. Les tigres blancs sont rares dans la nature, mais ils peuvent parfois se trouver dans les zoos. Un seul des 10 000 tigres du Bengale au monde est blanc!

Le papillon chimère

Illustré avec la fille dans le livre, le papillon chimère a un motif différent sur la moitié de son corps par rapport à l'autre moitié. Il peut même être moitié femelle et moitié mâle! La fille dans le livre a des yeux de couleur différente, un phénomène qui s'appelle l'hétérochronie.

Le coin des blagues

Monsieur et madame Gator ont un enfant, quel nom lui donnent-ils?

Ali (Ali Gator)

Qu'est-ce qu'un panda pas étiré ?

Un panda court.

Dans la brousse, deux tigres bavardent, couchés devant une trousse médicale :

Quel bon vétérinaire !
Oui, dommage qu'il n'en reste plus.

Un jour un citron et une vache veulent braquer une banque.

La vache dit :

Que personne ne bouse !

Le citron rajoute :

Pas un zeste !

Que disent deux crocodiles mâles quand ils voient passer une femelle crocodile ?

On LACOSTE ?

C'est un banc de poissons qui nagent dans la mer, un poisson voit une étoile de mer et dit :

Attention voilà le shérif !

Comment on demande l'heure à un serpent?

Quelle heure reptile?

www.ingramcontent.com/pod-product-compliance
Lightning Source LLC
Chambersburg PA
CBHW041420160426
42811CB00104B/1839
9780995826137